CAERDYDD

CARDIFF

Y Rhufeiniaid oedd y bobl gyntaf i sylweddoli pwysigrwydd strategol Caerdydd. Codon nhw gaer syml yn OC 75, er mwyn rheoli tair aber afonydd Taf, Elai a Rhymni.

Yn y drydedd a'r bedwaredd ganrif, cafwyd bygythiad gan y Sacsoniaid a'r Gwyddelod, ac er i gaer Caerdydd gael ei hailgodi i gwrdd â'r perygl, pan gafodd y milwyr Rhufeinig eu galw yn ôl i amddiffyn Rhufain yn y bedwaredd ganrif, gadawyd y brodorion yn ddiamddiffyn. Cwympodd y gaer yn adfeilion heb neb yn byw yno a gwelodd brenhinoedd y Cymry eu cyfle i sefydlu teyrnasoedd bach.

Yn ne-ddwyrain Cymru, disgynnodd y deyrnas o genhedlaeth i genhedlaeth nes i Morgan Mwynfawr ei hetifeddu, rhoi'r enw Morgannwg ar yr ardal, a'i rhannu'n gantrefi a chymydau. Cibwr oedd enw'r cwmwd lle mae dinas Caerdydd heddiw.

Yn y ddegfed ganrif a'r unfed ganrif ar ddeg daeth Llychlynwyr nid yn unig i ysbeilio a dychryn ond hefyd i fasnachu. Gwelir ambell enw Sgandinafaidd ar rai o

The Romans were the first people to realise the strategic importance of Cardiff. They built a simple fort in AD 75 to control the mouths of the rivers Taff, Ely and Rhymney.

The Saxons invaded in the third and fourth centuries, and the coastline of south and west Wales suffered frequent raids from the Irish. Although the fort at Cardiff was strengthened in the face of this danger, when the Roman garrisons were recalled to defend Rome in the fourth century, the natives were left undefended. The fort became a deserted ruin and the Welsh kings seized their opportunity to found their own realms.

In south-east Wales, the kingdom was passed through the generations to Morgan Mwynfawr, who named his kingdom Morgannwg or Glamorgan, and divided the territory into hundreds and commotes. Modern-day Cardiff lies in the ancient commote of Cibwr. In the tenth and eleventh centuries the Vikings came not only to pillage and terrify but also to trade, and some Cardiff streets

Opposite: Womanby Street.
Gyferbyn: Heol Womanby.

heolydd Caerdydd hyd heddiw – Womanby Street, er enghraifft, ond prin yw hanes Caerdydd yn yr Oesoedd Tywyll. Yn wir, ychydig o wybodaeth sy ar gael tan i'r Normaniaid gyrraedd Morgannwg yn yr unfed ganrif ar ddeg.

Yn 1081 daeth Gwilym Orchfygwr â byddin i dde Cymru, gan godi amddiffynfeydd dros dro tu fewn i'r hen gaer. Roedd Gwilym wedi rhoi arglwyddiaeth Caerloyw i'w berthynas, Robert Fitzhamon ac, yn 1091, arweiniodd Fitzhamon ei fyddin dros afon Hafren, gan drechu rheolwr annibynnol ola Morgannwg, Iestyn ap Gwrgant. Trodd Fitzhamon y gaer adfeiliedig yn gastell pren a phridd, a hen gwmwd Cibwr yn Arglwyddiaeth Normanaidd Caerdydd. Ailgloddiwyd ffos o amgylch y gaer, a chafodd olion yr amddiffynfeydd eu gorchuddio gan dwyn o bridd a ffens goed. Ar yr ochr ogledd-orllewinol cafodd mwnt deugain troedfedd o uchder ei godi. Daeth y castell yn bencadlys Arglwyddiaeth Mers Morgannwg: yno roedd y ganolfan weinyddol, y llysoedd, y siawnsri a'r trysorlys. Ychydig wedi sefydlu'r castell,

retain Scandinavian names today – Womanby Street, for example, but little is known of Cardiff's history in the Dark Ages. Indeed, we have little information until the Norman Conquest in the eleventh century.

In 1081 William the Conqueror brought his army to south Wales and built temporary defences within the old fort. William had given the lordship of Gloucester to his relation, Robert Fitzhamon and, in 1091, Fitzhamon led his army across the Severn, defeating the last independent ruler of Glamorgan, Iestyn ap Gwrgant. Fitzhamon rebuilt the ruined fort as a castle, and the ancient commote of Cibwr became the Norman Lordship of Cardiff. The ditch around the fort was re-dug, and the remains of the old defences were covered with earth and a wooden fence. On the north-western side a forty-foot mound was raised. The castle became the headquarters for the Glamorgan Marcher Lords: it was here that the administrative centre, the courts, the chancery and the treasury were. Once the castle was founded, a town sprang up on the southern side, where

Caerdydd · Cardiff

Martin Huws

Lluniau/Photography: Nick Jenkins

Yr olygfa o ben twr eglwys Sant Ioan at y castell; dyma safle'r dref wreiddiol.

The view from St John's church tower towards the castle; this is the site of the original town.

tyfodd tref ar yr ochr ddeheuol lle gynt roedd y gymuned Rufeinig. Ar y cychwyn un fach oedd hi ond erbyn diwedd y drydedd ganrif ar ddeg roedd rhwng 1,500 a 2,000 yn byw yno.

Erbyn 1100 roedd Caerdydd yn fwrdeistref, ac yn y ddeuddegfed ganrif a'r drydedd ar ddeg ailgodwyd y castell â charreg. Aeth yr Arglwyddiaeth i feddiant Ieirll Caerloyw, oedd yn meddu ar dre Bryste eisoes, drwy briodas unig ferch ac aeres Fitzhamon â Robert the Consul, mab gordderch Harri I.

the Roman settlement used to be, small at the outset, but by the end of the thirteenth century between 1,500 and 2,000 people lived there.

By 1100 Cardiff was a borough, and in the twelfth and thirteenth centuries the wood and earth castle was rebuilt in stone. The Lordship passed into the hands of the Earls of Gloucester, who already ruled Bristol, through the marriage of Fitzhamon's only daughter and heiress with Robert the Consul, the illegitimate son of Henry I.

Castell Caerdydd.

Cardiff Castle.

Yn 1147 olynwyd Robert gan ei fab, William, Iarll Caerloyw, ond yn 1158 ymosododd y Cymry ar y castell dan arweiniad Ifor Bach, Arglwydd Senghennydd. Cafodd William, ei wraig a'u mab eu cipio ac ar ôl yr ymosodiad hwn cryfhawyd y castell eto.

Pasiodd yr Arglwyddiaeth o reolaeth teulu Caerloyw i deulu de Clare yn y drydedd ganrif ar ddeg. Yr aelod enwocaf o'r teulu oedd yr Iarll Coch, Gilbert de Clare, 1263–95. Yn wyneb

In 1147 Robert was succeeded by his son, William, Earl of Gloucester, but in 1158 the Welsh atacked the castle, led by Ifor Bach, Lord of Senghennydd. William, his wife and son were kidnapped and subsequently the wooden fence on the hill became a stone tower.

Control of the Lordship passed from the Gloucester family to the de Clares in the thirteenth century. The most famous member of the family was the Red Earl, Gilbert de Clare, 1263–95. Faced with

grym Llywelyn, Tywysog Cymru, fe ailadeiladodd y castell. Ychwanegodd at borth y tŵr, ailffurfiodd y beili, cryfhaodd Borth y De ac ail-adeiladodd yr amddiffynfeydd ar yr ochr orllewinol.

Pan gafodd olynydd yr Iarll Coch, Gilbert de Clare yr Ifanca, ei ladd ym Mrwydr Bannockburn yn 1314, rhannwyd y tiroedd rhwng ei ferched a daeth Arglwyddiaeth Morgannwg yn eiddo i'r ferch hyna. Roedd hi wedi priodi Hugh le Despenser yr Ifanca, Swyddog Teulu'r Llys a ffefryn Edward II. Yn 1321 cafodd y castell ei ddarostwng i danseilio dylanwad 'andwyol' Despenser.

Erbyn y bymthegfed ganrif roedd llai o bwyslais ar ddatblygiadau milwrol ac yn gynnar yn y ganrif, pan ddaeth y castell yn eiddo i Richard Beauchamp, Iarll Warwick (1425–39), codwyd ystafelloedd byw am y tro cynta tu fewn i'r wal orllewinol.

O ganlyniad i Ddeddf Uno 1536, cafodd breintiau arbennig Arglwyddi'r Mers eu dileu. O dan y drefn newydd, Caerdydd oedd canolfan lywodraethol Sir Forgannwg ac roedd neuadd y sir, lle câi'r llysoedd eu cynnal, ym meili allanol y

the might of Llywelyn, Prince of Wales, he re-built the castle. He added to the tower gatehouse, re-formed the bailey, strengthened the South Gate and rebuilt the western defences.

When the Red Baron's heir, Gilbert de Clare the Younger, was killed in the Battle of Bannockburn in 1314, the lands were shared between his daughters and the Lordship of Glamorgan became the property of the eldest daughter. She had married Hugh le Despenser the Younger, the Court's House Officer and a favourite of Edward II. In 1321 the castle was subjugated in order to undermine Despenser's 'damaging' influence.

By the fifteenth century there was less emphasis on military development and early in the century, when the castle came into the estate of Richard Beauchamp, Earl of Warwick (1425–39), living quarters were built within the west wall.

Following the Act of Union in 1536, the special privileges of the Marcher Lords were removed. According to the new system, Cardiff became the seat of government for the county of Glamorgan, and the county hall where the law court

castell. Ond er gwaetha'r drefn newydd, parhaodd tor-cyfraith. Er enghraifft, ers blynyddoedd roedd morladrata wedi bod yn broblem fawr ac, yng nghyfnod Elisabeth I, Caerdydd oedd canolfan morladron ac anturwyr yr arfordir gorllewinol. Roedd llawer o ddinasyddion yn anwybyddu hyn ond yn hwyr yn yr unfed ganrif ar bymtheg penderfynodd y llywodraeth ymchwilio i rai oedd yn cael eu hamau. Er i nifer, gan gynnwys siryf, gael eu dedfrydu a'u dirwyo, ni ddaeth y morladrata i ben.

Chwaraeodd Caerdydd ran amlwg yn y Rhyfel Cartref yn yr ail ganrif ar bymtheg. Yn 1642 cafodd Caerdydd ei chipio gan y Brenhinwyr, ac ar ôl colli Brwydr Naseby yn 1645, ymwelodd Charles I â Chaerdydd i geisio ailgynnull ei luoedd ym Morgannwg. Pan gipiodd milwyr pleidiol i'r Seneddwyr y castell, aeth dan warchae gan y Brenhinwyr ond y Seneddwyr oedd yn rheoli'r môr, a bu'n rhaid rhoi'r gorau i'r gwarchae.

Dechreuodd cyfnod modern Caerdydd yn ail hanner y ddeunawfed ganrif gyda'r Chwyldro Diwydiannol, pan ddatblygodd Maes Glo De Cymru a phan

sat was in the castle bailey. Despite the new order, lawlessness was still a factor in the life of Cardiff. For example, piracy had been a problem, and during the reign of Elizabeth I, Cardiff was the centre for pirates and buccaneers along the western seaboard. Many citizens ignored this but late in the sixteenth century the government decided to investigate the prime suspects. Although many people, including a sheriff, were charged and fined, the piracy continued.

Cardiff played a prominent role in the English Civil War in the seventeenth century. In 1642 the town was seized by the Royalists, and after his defeat at the Battle of Naseby in 1645, King Charles I visited Cardiff to rally troops in Glamorgan. When Parliamentary troops took the castle, the Royalists attempted a blockade, but as the Roundheads ruled the sea, their attempts failed.

Cardiff's modern history began in the second half of the eighteenth century with the Industrial Revolution, and the development of the South Wales Coalfield; the castle and its surrounding area became the property of the Bute

ddaeth y castell a thiroedd yr ardal i feddiant teulu Bute. Yr hwb cynta oedd sefydlu diwydiant haearn Morgannwg. I ddechrau, byddai'r haearn yn cael ei gludo ar gefn mulod i hen gei Caerdydd a'i lwytho ar longau ond yn 1794 codwyd Camlas Morgannwg a dyna ddechrau twf masnachol Caerdydd. Pan estynnwyd y gamlas i'r môr, cynyddodd y drafnidiaeth glo a haearn, cyn ei disodli yn 1840-41 gan Reilffordd Cwm Taf.

Yn fuan, sylweddolodd perchnogion harbwr Caerdydd nad oedd cyfleusterau yno'n addas o gofio'r gofyn cynyddol am

family. The first boost came with the burgeoning iron industry in Glamorgan; iron would be brought by donkey to the old quayside at Cardiff for shipping, but in 1794 the Glamorgan Canal was built, signalling the growth of commercial Cardiff. When the canal was linked to the sea the coal and iron traffic increased, but was replaced by the Taff Vale Railway in 1840-41.

The owners of Cardiff harbour soon realised that conditions were unsuitable in the face of demands for steam coal. In the 1830s, John, Second Marquess of

Ardal Butetown, ger y dociau.

The Butetown area, close to the docks.

9

lo ar gyfer grym ager. Yn yr 1830au adeiladodd John, Ail Ardalydd Bute, y doc cynta, Doc Gorllewinol Bute, i'r dwyrain o aber afon Taf. Cafodd ei agor yn 1839.

Yna datblygodd y dociau'n gyflym. Yn 1840 roedd y porthladd yn trafod 46,042 o dunelli o lo bob blwyddyn ond erbyn 1860 roedd yn trafod 2,225,980 o dunelli. Agorwyd Doc Dwyrain y Bute yn 1859 a phan agorwyd Basin y Rhath yn 1874 roedd y cyfanswm wedi cyrraedd 3,500,000 o dunelli. Roedd angen mwy fyth o gyfleusterau porthladd ac yn 1887 agorwyd Doc y Rhath.

Erbyn 1894 roedd bron i ddeng miliwn o dunelli o lo yn cyrraedd y porthladd a chodwyd doc newydd, a'i orffen yn 1907, sef Doc y Frenhines Alecsandra. Erbyn dechrau'r ugeinfed ganrif, Caerdydd oedd y porthladd allforio glo mwyaf yn y byd. Ganrif ynghynt roedd wedi bod yn borthladd dinod ac yn gartref i 1,870 o bobol, ond erbyn 1901 roedd 164,335 o bobl yn byw yno!

Yn 1905, yn wyneb twf Caerdydd, derbyniodd statws ddinesig oddi wrth Edward VII ac, yn 1955, cyhoeddwyd taw hi oedd prifddinas Cymru. Mewn llai na

Bute, built the first dock, Western Bute Dock, to the east of the Taff river. It was opened in 1839.

Then the docks mushroomed. In 1840 the port handled 46,042 tons of coal a year, but by 1860 it handled 2,225,980 tons. The Bute East Dock opened in 1859, and by the time Roath Basin opened in 1874, 3,500,000 tons of coal were being exported from Cardiff in a year. More facilities were needed, and Roath Dock opened in 1887.

By 1894 almost ten million tons of coal came to the port, and a further new dock, the Queen Alexandra dock, was opened in 1907. By the beginning of the twentieth century, Cardiff was the largest coal-exporting port in the world. Only a century before, it had been a minor harbour, home to 1,870 people, but by 1901 it was home to 164,335!

In 1905 Cardiff was granted city status by Edward VII, but was only made capital of Wales in 1955. In less than 150 years the old borough had become a cosmopolitan centre and home to a quarter of a million people.

chanrif a hanner roedd yr hen fwrdeistref wedi troi'n gartref cosmopolitan i chwarter miliwn o bobol.

Erbyn hyn mae Caerdydd yn gartref i lawer o sefydliadau pwysig ac adeiladau diddorol, sy'n cadarnhau ei statws fel prifddinas. Yn 1947 rhoddodd Pumed Ardalydd Bute, John Crichton Stuart, y castell, ei barc a'i erddi, cyfanswm o 400 o erwau, yn anrheg i bobol Caerdydd.

Ym Mharc Cathays mae'r Ganolfan Ddinesig, casgliad o adeiladau pwysig a hardd. Cafodd Neuadd y Ddinas a'r Llysoedd eu codi yn 1904 gan ddilyn

Cardiff now houses many important bodies and interesting buildings, which reinforce its importance as the nation's capital. In 1947 the Fifth Marquess of Bute, John Crichton Stuart, donated the castle, its parklands and gardens, 400 acres in all, to the people of Cardiff.

The Civic Centre is in Cathays Park, a collection of important and handsome buildings. City Hall and the Law Courts were built in 1904 to a design by Lanchester and Rickards. City Hall's distinctive clock-tower can be seen for miles.

Neuadd y Ddinas.

City Hall.

cynllun Lanchester a Rickards. Mae Neuadd y Ddinas yn adeilad trawiadol a'i dŵr i'w weld o bell.

Un arall o adeiladau Parc Cathays yw'r Amgueddfa Genedlaethol. Cafodd Siarter Frenhinol ei chaniatáu i'w chodi yn 1907 ond er i Frenin Siôr V osod carreg sylfaen yn 1912 bu'n rhaid gohirio'r gwaith adeiladu oherwydd y Rhyfel Mawr ac ailddechreuodd yn 1926 ac fe'i hagorwyd gan Siôr V yn Ebrill 1927. Pwrpas yr amgueddfa yw 'dysgu'r byd am Gymru, a dysgu'r Cymry am wlad eu tadau'.

Yn 1883 y cafodd Coleg y Brifysgol ei sefydlu yn Heol Casnewydd a'i agor gan y llywydd cyntaf, Arglwydd Aberdâr y Cyntaf, i 151 o fyfyrwyr, gan gynnwys menywod. Y flwyddyn ddilynol cafodd Siarter Frenhinol ei chaniátau. Y Prifathro cyntaf oedd John Viriamu Jones ac yn 1893 daeth y coleg yn rhan o Brifysgol Cymru. Yn 1909 agorwyd prif adeiladau

Another important building in Cathays Park is the National Museum. A Royal Charter was granted to build it in 1907, but although King George V laid the foundation stone in 1912, the building work was postponed due to the First World War, and didn't restart until 1926. The museum was opened by George V in 1927. Its purpose is 'to teach the world about Wales, and to teach the Welsh about the land of our fathers'.

In 1883, the University College was founded in Newport Road and opened by its first President, The First Lord Aberdare, to 151 students, including women. A Royal Charter was granted in the following year. The first Principal was John Viriamu Jones, and in 1893 the college became a member of the University of Wales. In 1909 the main buildings in Cathays Park were opened by the Earl of Plymouth, and in 1912 George

Parc Cathays gan y llywydd, Iarll Plymouth, ac yn 1912, agorodd Siôr V Labordy Viriamu Jones. Cafodd prif adeilad newydd ei orffen ym Mharc Cathays yn 1962. Y flwyddyn ddilynol cafodd Adeilad y Celfyddydau ei agor. Erbyn diwedd y ganrif roedd bron i 20,000 o fyfyrwyr prifysgol yn y ddinas, lle nad oedd ond 2,000 hanner canrif ynghynt.

Un arall o adeiladau mawreddog Parc Cathays yw'r Deml Heddwch. Cafodd y Deml, rhodd Arglwydd Davies, Llandinam, i'r genedl, ei chodi yn 1938 ar safle a gafodd ei gyflwyno gan Gorfforaeth Caerdydd. Y pensaer enwog, Syr Percy Thomas, brodor o Gaerdydd, a arolygodd godi'r adeilad ac yn bresennol yn y seremoni agoriadol ar Dachwedd 23, 1938, roedd mamau o Gymru, Prydain a'r Gymanwlad oedd wedi colli

V opened the Viriamu Jones Laboratory. A new main building was completed in Cathays Park in 1962, and the Arts Building was opened in the following year. By the end of the twentieth century, Cardiff had almost 20,000 university students, compared to 2,000 in 1950.

Another of Cathays Park's majestic buildings is the Temple of Peace. The building, a gift to Wales by Lord Davies of Llandinam, was built in 1938 on a site donated by Cardiff Corporation. The famous Cardiff-born architect, Sir Percy Thomas, supervised the building work, and mothers from Wales, Britain and the Commonwealth whose sons were killed in the Great War were present at the opening ceremony on 23 November, 1938. The building represents Wales's two main humanitarian ideals, peace and health.

meibion yn y Rhyfel Mawr. Mae'r adeilad i fod yn symbol o ymroddiad Cymru i'w dau brif achos dyngarol sef heddwch ac iechyd. O dan y deml mae cell danddaearol lle cedwir Llyfr Coffa Cenedlaethol sy'n cynnwys 35,000 o enwau'r Cymry fu farw yn y Rhyfel Mawr. Bob bore am un ar ddeg, i gofio am awr llofnodi'r Cadoediad, mae tudalen yn cael ei throi.

Mae Caerdydd yn gymwys i fod yn ddinas ar sail ei heglwys gadeiriol, ond nid oedd gan eglwys gadeiriol Llandaf siarter. Hwn yw un o'r safleoedd eglwysig hynaf yng ngwledydd Prydain; y gred gyffredinol yw bod Teilo Sant wedi sefydlu cymuned grefyddol yma yn y chweched ganrif. Ers y cychwyn cafodd yr eglwys ei hailgodi neu ei hadfer bum gwaith.

Apwyntiwyd Cymro o'r enw Wrban, neu Gwrgan, Archddiacon Caerdydd, yn esgob cyntaf ar Landaf ac estynnodd ffiniau ei esgobaeth i gynnwys Tyddewi a Henffordd. Cynlluniodd adeilad ar ffurf croes a oedd, mae'n debyg, yn cynnwys cangell, corff eglwys, dwy groes eglwys, a'r rhan fwyaf o'r siambr fwaog. Pan

Beneath the temple in an underground cell is the National Book of Remembrance, listing the names of 35,000 Welshmen killed during the Great War. A page is turned daily at 11am, to remember the hour the Armistice was signed.

Cardiff could claim city status because of its cathedral, but Llandaff Cathedral never had a charter. The site at Llandaff is one of the oldest ecclesiastical sites in Britain; the general belief is that Saint Teilo founded a religious community here in the sixth century. The church has been rebuilt or restored five times since then.

The first Bishop of Llandaff was a Welshman called Urban or Gwrgan, the Archdeacon of Cardiff, and he extended the boundaries of his diocese to include St Davids and Hereford. He designed a cross-shaped building which probably incorporated a chancel, nave, two cross-chapels and most of the arched chamber. As subsequent builders added to the church, they used many architectural styles; the Norman doors were built

Gyferbyn: Eglwys Gadeiriol Llandaf a Ffynnon Sant Teilo.

Opposite: Llandaff Cathedral and Saint Teilo's Well.

ychwanegodd adeiladwyr eraill at yr eglwys, cafodd bron pob arddull o'r Oesoedd Canol eu cynnwys: cafodd y drysau Normanaidd eu codi tua 1170; roedd y côr, corff yr eglwys, y cabidyldy a'r blaen gorllewinol, ar wahân i'r tyrau, yn null y Cyfnod Seisnig Cynnar; mae capel Mair yn perthyn i'r Cyfnod Trawsnewidiol a chafodd y gafell ac ystlysau'r eglwys eu hailwampio yn y Cyfnod Addurnedig.

Mae'n debyg fod castell yr Esgob a thŷ'r Archddiacon wedi eu llosgi neu eu difrodi gan Owain Glyndŵr ar ddechrau'r bymthegfed ganrif. Roedd hyn yn golygu fod yr esgobion yn gorfod byw ym Mhalas Merthyr Tewdrig yn Sir Fynwy am ragor na 300 mlynedd. Dirywiodd yr eglwys gadeiriol ac yn 1720 cwympodd twr y de, rhan fawr o'r nenfwd a llofft olau corff yr eglwys. Am flynyddoedd lawer ni wnaethpwyd dim i adfer cyflwr y lle ond dechreuodd cyfnod newydd pan gafodd Esgob Ollivant ei apwyntio yn 1849. Erbyn iddo farw yn 1882 roedd yr eglwys wedi ei hadfer, gan ddilyn cynlluniau John Pritchard, un o ddisgyblion Pugin.

around 1170; the choir, nave, chapter and west front, apart from the towers, are in the Early English style; the Lady chapel belongs to the Transitional period and the chancel and buttresses were restored in the Decorated style.

The Bishop's castle and the Archdeacon's house were probably burnt or destroyed by Owain Glyndŵr at the beginning of the fifteenth century. This meant that the bishops had to live in Mathern palace in Monmouthshire for more than 300 years. The cathedral fell into decline and in 1720 the South Tower, a large portion of ceiling and the nave's clerestory collapsed. For many years nothing was done to renovate the church, but a new period began with the appointment of Bishop Ollivant in 1849. When he died in 1882, the church had been restored, according to the designs of John Pritchard, a student of Pugin.

During the Second World War the church was bombed. Apart from the Lady chapel and the chancel, only a shell remained. The church was left in ruins for ten years, before a new nave was reopened in 1957 and the work was

Yn ystod yr Ail Ryfel Byd cafodd yr eglwys ei dinistrio gan gyrch awyr. Ar wahân i gapel Mair a'r gafell dim ond cragen oedd ar ôl am ddeng mlynedd. Cafodd corff yr eglwys newydd ei ailagor yn 1957 ac yn 1960 cwblhawyd y gwaith adfer. Uwchben y bwa mae cerflun enwog Majestas Epstein.

Eglwys Sant Ioan y Bedyddiwr, eglwys y plwyf, yw'r adeilad hynaf yng Nghaerdydd wedi'r castell, ac ers y cyfnod cynnar roedd cysylltiad rhwng y

completed in 1960. Above the arch is Epstein's famous sculpture of Christ in Majesty.

St John the Baptist Church, Cardiff's parish church, is the oldest building in Cardiff bar the castle, and since the earliest times both buildings were linked. The first church dated to the Norman period, 1170, probably. The present church was built in 1453.

Lady Ann Nevill was responsible for building the famous tower. She was the

Cerflun Epstein yn Eglwys Llandaf.

The statue by Epstein in Llandaff Cathedral.

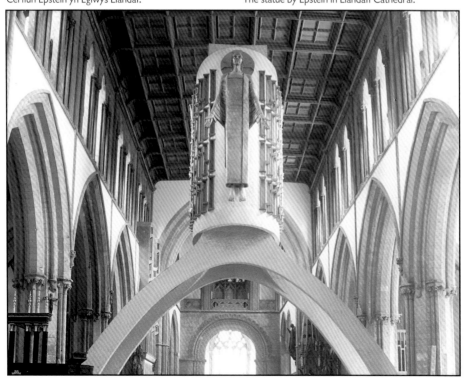

ddau. Roedd yr eglwys gynta'n perthyn i'r cyfnod Normanaidd, 1170 mae'n debyg. Cafodd yr eglwys bresennol ei chodi yn 1453.

Arglwyddes Ann Nevill a gododd y twr enwog. Hi oedd gwraig Richard, Dug Caerloyw, a ddaeth yn Rhisiart III, a hi – ynghyd â'i chwaer Isobel – oedd aeres arglwyddiaeth Morgannwg. Y nodwedd amlwg arall yw ystlys Herbert lle mae cofeb uwchben bedd y ddau frawd, Syr William Herbert, Ceidwad Castell Caerdydd, a fu farw yn 1609, a Syr John Herbert, Ysgrifennydd Preifat i'r Frenhines Elisabeth ac Iago I, a llysgennad. Bu farw yn 1617.

Nid Castell Caerdydd yw'r unig gastell oddi mewn i ffiniau'r ddinas. Mae dau 'gastell' arall, un ar y ffin ogleddol, ac un yn y gorllewin. Er iddo gael ei ailwampio a'i adfer yn foethus yn y bedwaredd ganrif ar bymtheg, yn y bôn y gaer a gododd Gilbert de Clare yn y drydedd

wife of Richard, Duke of Gloucester, later Richard III, and she – along with her sister, Isobel – was the heiress to the lordship of Glamorgan. The other prominent feature of the church is the Herbert wing where a memorial may be seen above the grave of the two brothers, Sir William Herbert, Keeper of Cardiff Castle, who died in 1609, and Sir John Herbert, ambassador and Private Secretary to Elizabeth I and James I. He died in 1617.

Cardiff Castle isn't the only castle within the city's present boundary. There are two other 'castles', one on the northern edge and one to the west of the city. Despite being lavishly redesigned in the nineteenth century, Castell Coch (the Red Castle) is still basically the fortress built by Gilbert de Clare in the thirteenth century to

ganrif ar ddeg i warchod porth Ceunant Taf yw Castell Coch. Saif y castell ar safle hen gaer a gododd Ifor Bach, Arglwydd Senghennydd. Oherwydd y patrwm trionglog, y tri thŵr crwn â thoeau pigfain mae'n debyg i gestyll y Rheindir yn yr Almaen. Rhwng 1875 a'r 1890au, adferwyd y castell ac ailgodi'r rhannau ucha'n llwyr ar gais Arglwydd Bute gan y pensaer William Burges, a oedd yn gyfrifol am lawer o nodweddion Castell Caerdydd hefyd, gan gynnwys Muriau'r Anifeiliaid enwog.

defend the gateway to the Taff Gorge. It stands on the site of an earlier fort built by Ifor Bach, the Welsh Lord of Senghennydd. Because of its triangular layout, the three towers and the funnel-shaped roofs, it resembles a Rhineland castle. Between 1875 an the 1890s the castle was completely renovated, with the uppermost quarters being totally rebuilt at the request of Lord Bute by the architect William Burges, who was also responsible for many of the distinctive decorative features of Cardiff Castle, including the famous Animal Wall.

Dau o anifeiliaid Mur Castell Caerdydd.
Two of the beasts from the Animal Wall.

Ffermdy Abernodwydd. *Llun bach:* Ffermdy Kennixton o gapel Pen-Rhiw.
Abernodwydd Farmhouse. *Inset:* Kennixton farmhouse seen from Pen-Rhiw chapel.

Agorwyd yr Amgueddfa Werin yn Sain Ffagan, ar ymylon gorllewinol y ddinas, yn 1948 a'r curadur cyntaf oedd Iorwerth Peate. Mae'r safle'n cynnwys Castell Sain Ffagan a'i ddeunaw erw o erddi a thir, ac wyth deg erw o barc coediog. Mae'r castell, a gafodd ei godi yn yr unfed ganrif ar bymtheg ar safle gweddillion castell canoloesol, yn darlunio cyfnodau gwahanol bywyd domestig y bonedd. Yng ngweddill yr amgueddfa mae adeiladau o wahanol rannau o Gymru, gan gynnwys eglwys hynafol Llandeilo Talybont, Neuadd Les y Glowyr o Oakdale, llawer o dai fferm a rhes o dai teras. Yr ychwanegiad diweddara, sy heb ei godi eto, yw Gorsaf Heddlu Ffynnon Taf.

The Museum of Welsh Life opened in St Fagans on the western fringes of the city in 1948, and the first curator was Iorwerth Peate. The site includes St Fagan's Castle along with its eighteen acres of gardens and eighty acres of wooded parkland. The castle, built in the sixteenth century on the site of a ruined medieval castle, depicts different periods in the domestic life of the gentry. The rest of the museum contains buildings brought here from different parts of Wales, including the ancient church of Llandeilo Talybont, the Miners' Welfare Hall from Oakdale, many farmhouses and a terrace from Merthyr Tydfil. The latest addition is Taff's Well Police Station.

Llyn Parc y Rhath.
Roath Park Lake.

Y Gofeb i Scott.
The Scott Memorial.

Bu Caerdydd yn ffodus o dderbyn llawer o dir gan deulu Bute, oherwydd Ardalydd Bute a gyflwynodd dir Parc y Rhath i'r dre yn 1887. Cafodd y parc 102 o erwau ei gynllunio ar gost o bron i £62,000 a'i agor yn gyhoeddus yn 1894. Hwn oedd y parc cyntaf yng Nghaerdydd dan berchnogaeth drefol. Ger llyn enwog y parc mae goleudy'n coffáu'r ffaith fod Capten Robert Scott wedi gadael Caerdydd yn 1910 ar long y *Terra Nova* am Antarctica. Cafodd y goleudy ei ddadorchuddio yn 1918.

Nid yw pob un o adeiladau pwysig Caerdydd yn dal i sefyll yn yr unfed ganrif ar hugain. Roedd Pwll y Gymanwlad, ar lan ddwyreiniol afon Taf yn Wood Street, yn arfer bod yn un o'r adeiladau cyhoeddus mwya modern ac yn ganolbwynt i'r bywyd cymdeithasol. Fe'i codwyd i ddarparu ar gyfer nofwyr lleol ac i sicrhau bod gan Gaerdydd gyfleusterau safonol ar gyfer cystadlaethau rhyngwladol mewn da bryd ar gyfer Gemau'r Gymanwlad yn 1958. Cafodd ei chwalu yn 1998 er mwyn datblygu Stadiwm y Mileniwm.

Chwaraeodd ugain bob ochr yn y gêm

Cardiff was fortunate to receive many acres of land from the Bute family because it was the Marquis of Bute who donated Roath Park to the town in 1887. The 102 acre park cost almost £62,000 to design and was opened to the public in 1894. This was Cardiff's first municipal park. Close to the famous boating lake stands a lighthouse – which commemorates that Captain Robert Scott sailed from Cardiff in 1910 on board the *Terra Nova* destined for the South Pole. The lighthouse was unveiled in 1918.

Not every one of Cardiff's landmarks made it into the twenty-first century. The Empire Pool, which stood on the eastern bank of the Taff in Wood Street, was one of the city's most modern public buildings and was a focus for social and sporting life in the capital. It was built to cater for local swimmers and to ensure that Cardiff had suitable facilities to host the Commonwealth Games in 1958. It was demolished in 1998 to make way for the Millennium Stadium.

The first rugby match to be played at Cardiff Arms Park was between two 20-a-side teams in 1874.

rygbi gynta ym Mharc yr Arfau yn 1874. Cafodd Tîm Rygbi Caerdydd ei sefydlu yn 1876 ac yn eu gêm gynta ym Mharc yr Arfau trechon nhw Abertawe. Yn 1881 cafodd yr eisteddle cynta ei godi, a digon o le i 300 o bobl ynddo. Dair blynedd yn ddiweddarach cafodd y gêm ryngwladol gynta ei chwarae yno pan drechodd Cymru Iwerddon.

Yn 1905 curodd Cymru Grysau Duon Seland Newydd yno, yr unig gêm i'r rheiny ei cholli ar eu taith gynta. Torrwyd record byd yn 1951 pan wyliodd 48,500 gêm rhwng Caerdydd a

Cardiff Rugby Team was founded in 1876 and their first game saw them beat Swansea at the Arms Park. The first stand was built in 1881 with seating for 300 people. Three years later the first international was played there when Wales beat Ireland.

In 1905 Wales beat the All Blacks of New Zealand there, the only match which the antipodean visitors lost on their first tour. A world record was broken in 1948 when 48,500 watched a club game between Cardiff and Newport – Newport won! In 1966 the last county

Chasnewydd – Casnewydd enillodd! Yn 1966 cafodd y gêm griced sirol ola ei chwarae ym Mharc yr Arfau gyda symud gemau criced i Erddi Sophia a daeth rasys milgwn i ben yno yn 1977.

Mae'r stadiwm newydd a adeiladwyd ar safle hen Barc yr Arfau a Phwll y Gymanwlad yn nodwedd arbennig iawn o Gaerdydd fodern. Fe'i cwblhawyd ar

cricket match was played there, as cricket transferred half a mile north to Sophia Gardens on the western bank of the Taff. The last dog race was held at Cardiff Arms Park in 1977.

The new stadium built on the site of the old Arms Park and the Empire Pool is a magnificent feature of modern Cardiff. It was completed in time for the

Adeilad y Pier Head, Bae Caerdydd.

Pier Head building, Cardiff Bay.

gyfer cystadleuaeth Cwpan Rygbi'r Byd, 1999, a gyda tho sy'n gallu agor a chau rhag y tywydd, a lle i 75,000 o bobl eistedd ynddo, dyma un o feysydd chwarae gorau'r byd.

Un rhan o ddatblygiad newydd

Rugby World Cup in 1999, and with its retractable roof and seating for 75,000 people, it is one of the world's greatest sporting arenas.

The stadium is only one feature of a blossoming Cardiff. It is in the old

Caerdydd yw'r stadiwm. Yn hen ardal y dociau y mae'r twf mwyaf. Yn 1987 sefydlwyd Corff Datblygu Bae Caerdydd gyda'r nod o ddatblygu 2,700 o erwau yn ne'r ddinas, bron deg y cant o dir Caerdydd. Yr adeilad newydd cyntaf ym Mae Caerdydd yn 1988 oedd Glanfa Iwerydd, pencadlys newydd De Morgannwg. Agorwyd Canolfan

docklands that the greatest change has occurred. In 1987 the Cardiff Bay Development Corporation was founded with the aim of regenerating 2,700 acres of land in the south of the city – almost 10% of the entire area of Cardiff. The first new building in the Bay was Atlantic Wharf, the new headquarters of South Glamorgan. The Cardiff Bay Visitor

Yr Eglwys Norwyaidd.
The Norwegian Church.

Ymwelwyr Bae Caerdydd, adeilad hynod ar siâp tiwb, yn 1990 a chafodd yr Eglwys Norwyaidd, hen eglwys bren a adeiladwyd gan forwyr o Norwy, ei symud i safle newydd yn y Bae yn 1991.

Cafodd Tŷ Crughywel, pencadlys dros dro Cynulliad Cenedlaethol Cymru, ei agor yn 1993 a'r flwyddyn ddilynol dechreuodd y gwaith ar Forglawdd Bae Caerdydd. Yn 1999 agorodd y Frenhines y Cynulliad, a chafodd y morglawdd ei

Centre, an extraordinary tubular structure, was opened in 1990 and the old Norwegian Church, built by Scandinavian sailors, was moved to a new, prominent position in 1991.

Crickhowell House, the temporary home of the Welsh Assembly, was opened in 1993 and in the following year work began on the Cardiff Bay Barrage. In 1999 the Queen officially opened the Welsh Assembly and the barrage was

Bae Caerdydd.

Cardiff Bay.

orffen, gan greu llyn 500 erw lle gynt bu llacs.

Erbyn heddiw mae Caerdydd yn dal i dyfu a'i phoblogaeth tua 320,000. Mae'n ganolfan bwysig ym myd y cyfryngau a thelegyfathrebu, ac mae ei siopau yn denu cwsmeriaid o bell ac agos. Mae sawl siop fawr draddodiadol yn y ddinas yn ogystal â chanolfannau modern megis Canolfan Dewi Sant, y Capitol a Queen's West, ac mae'r arcêds yn nodwedd arbennig iawn lle ceir llu o siopau bach mewn strydoedd dan do.

completed, drowning the mudflats and creating a 500-acre lake.

Cardiff continues to grow and has a population of about 320,000. It is an important media and telecommunications centre and its shops attract customers from far and wide. Many traditional department stores jostle with new malls such as the St David's Centre, the Capitol and Queen's West, and the arcades which run between the main thoroughfares, crammed with interesting little shops on indoor streets, form a unique feature of the city.

Gyferbyn: Marchnad Caerdydd.
      Plac drws – Siop David Morgan.
Opposite: Cardiff Market.
      Door plaque – David Morgan Department
      Store.

Uchod: Canolfannau siopa hen a newydd.
Above: Shopping experiences old and new.

Datblygwyd ardal Mill Lane i gynnwys llawer o dafarndai a chaffis ffasiynol, ar lun rhai o ddinasoedd y Cyfandir.

The Mill Lane area has been redeveloped and now features many fashionable cafes and bars, in a continental style.

Ymhlith enwogion Caerdydd mae'r cantorion Shirley Bassey a Charlotte Church, yr actor Ioan Gruffydd a'r athletwr Colin Jackson. Gyda'i acen adnabyddus, ei gymysgedd ethnig – sy'n cynnwys y gymuned hynaf o Somaliaid ym Mhrydain – a'i statws fel prifddinas Cymru, mae'n lle cyffrous i fyw ynddo.

Famous Cardiffians include singers Shirley Bassey and Charlotte Church, actor Ioan Gruffydd and athlete Colin Jackson. With its distinctive accent, its cosmopolitan mix – including the oldest community of Somalis in Britain – and its exciting status as Wales's capital, Cardiff is a thrilling place in which to live.

Mill Lane.

Ers i'r Cynulliad gael ei sefydlu, gall Caerdydd edrych ar ei hanghenion a'i phroblemau ond hefyd ddysgu gwersi oddi wrth brifddinasoedd eraill Ewrop. Trodd y porthladd pysgota tawel a'r pentrefi cyfagos, Y Sblot, Rhiwbeina, Llanedeyrn, Y Waun, Llandaf, Cyn-coed, Pen-y-lan, Llaneirwg, y Tyllgoed, Treganna a llawer mwy, yn ddinas fywiog.

With the coming of the Assembly, now is the time for Cardiff to consider its needs and problems, and learn from other European capitals. The quiet fishing port and its cluster of surrounding villages, Splott, Rhiwbina, Llanedeyrn, Heath, Llandaf, Cyn-coed, Pen-y-lan, St Mellons, Fairwater, Canton and many more, have amalgamated to make a vibrant city.

Ty Crughywel, cartref cynta'r Cynulliad.
Crickhowell House, the first home of the Assembly.

Tynnwyd holl luniau'r gyfrol hon gan Nick Jenkins
All photographs for this book were taken by Nick Jenkins

Hoffai'r awdur gydnabod y ffynonellau isod:
The author wishes to acknowledge the following sources.
  Rhestr Testunau Eisteddfod Genedlaethol Caerdydd, 1978
  Caerdydd 1960:Ymweliad y Gymdeithas Brydeinig er Hyrwyddo Gwyddoniaeth
  John May: Millennium Cardiff
  Llawlyfr Dinas a Phorthladd Caerdydd
  Phil Cooke: 'The Role of the Welsh Capital' yn John Osmond (gol.): The National Assembly
  Agenda

Cyhoeddir fel rhan o gyfres gomisiwn Cip ar Gymru Cyngor Llyfrau Cymru.
Published in the Wonder Wales series commissioned by the Welsh Books Council.

ⓗ Gwasg Gomer 2001 ©
ⓗ Lluniau / Pictures: Nick Jenkins ©

ISBN 1 84323 002 X